Les trois Petits Cochons

AUZOU

Il était une fois trois petits cochons qui vivaient
avec leur maman dans une petite maison.
Un beau jour, la maman qui aimait ses trois fils
tendrement, leur dit :
« Mes chers enfants, les temps sont durs
et malheureusement je ne peux plus vous élever.
Vous allez devoir partir et construire votre propre maison.
Mais prenez garde au grand méchant loup !
Il faudra que votre maison soit bien solide,
pour qu'il ne puisse entrer et vous manger. »

Sur ces mots, la maman embrassa ses trois petits cochons et leur dit au revoir, les larmes au bord des yeux. Ils s'en allèrent donc, chacun de leur côté, pour se construire une maison.

Le premier petit cochon rencontra
en chemin un paysan qui portait
sur son dos une grosse botte de paille.
« S'il vous plaît, monsieur.
Puis-je avoir un peu de votre paille
pour me construire une maison ? »
demanda le petit cochon.
L'homme accepta.

Le deuxième petit cochon rencontra
un menuisier qui portait un chargement de bois

« S'il vous plaît, monsieur. Puis-je avoir un peu
de votre bois pour me construire une maison ? »
L'homme accepta.

Le troisième petit cochon rencontra de son côté un ouvrier qui poussait une brouette remplie de briques rouges. « S'il vous plaît, monsieur. Puis-je avoir quelques-unes de ces briques pour me construire une maison ? » demanda le petit cochon. L'homme accepta.

Un jour, alors que les trois pet
cochons rentraient chez eux
joyeusement, le grand méchant loup
les aperçut.

« Miam, que vois-je là ? dit-il. Trois petits cochons tendres et dodus !
Lequel vais-je manger en premier ?
Je vais commencer par le petit cochon dans la maison de paille ! »

Le loup alla frapper à la porte
du premier petit cochon.
« Gentil petit cochon, laisse-moi vite entrer.
– Jamais de la vie, par ma queue en tire-bouchon !
répondit le petit cochon.

– Alors je vais souffler sur ta maison et elle s'envolera ! »
s'écria le grand méchant loup.
Et le loup souffla si fort que la maison s'envola dans le ciel.

« Au secours ! » cria le petit cochon en s'abritant dans la maison en bois de son frère.
À peine eut-il refermé la porte que le loup frappa.

« Gentils petits cochons, laissez-moi vite entrer.
– Jamais de la vie, par nos queues en tire-bouchon ! répondirent les deux frères.

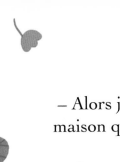

« – Alors je vais souffler si fort sur votre
maison qu'elle s'envolera ! »

Le loup gonfla ses joues et souffla si fort
que la maison en bois s'envola dans le ciel.

« Au secours ! » crièrent les deux petits cochons en courant le plus vite possible vers la maison de briques de leur frère.

ais bientôt, la grosse voix du loup résonna.
« Gentils petits cochons, laissez-moi vite entrer.
– Jamais de la vie, par nos queues en tire-bouchon !
s'exclamèrent les trois petits cochons.
– Alors vous allez voir ! hurla le loup à bout de patience.
Je vais souffler et démolir votre maison ! »

Il prit une énorme inspiration et souffla de toutes ses forces
sur la maison. Mais la maison de briques rouges ne bougea pas.

Fou furieux, le loup s'écria :
« Attendez un peu, petits cochons ! Je vais me glisser
par la cheminée et vous dévorer tout cru ! »
Mais le troisième petit cochon, très rusé, alluma un grand feu
dans la cheminée et y posa un chaudron rempli d'eau.
Lorsque le loup descendit par le conduit de la cheminée,
il tomba tout droit dedans.